유아 연산의 기준

칸토의 연산

0부터 10까지의 수

"취학 전 우리 아이가 해야 할 수학은?"

아이를 키우는 부모님이라면 하나같이 우리 아이가 수학을 좋아하고 잘했으면 하는 바람일 것입니다. 수학에 대한 안 좋은 기억이 있으신 부모님들이라면 더더욱 걱정과 조바심 속에 초등학교 가기 훨씬 전부터 아이에게 여러 문제집을 풀게 하며 수학에 많은 시간을 사용합니다. 지금까지 아이가 푼 문제집을 쌓아 올리며 부모님 스스로가 뿌듯해 하기도 합니다.

그런데 아이가 수학을 잘하기 위해 초등학교 입학 전에 해야 할 가장 중요한 것은 무엇일까요?

수학에 관심을 갖고 수학에 재미를 느끼는 것입니다.

그러나 현실은 그렇지 않습니다. 아이들은 방대한 양의 반복된 문제를 풀며 가장 중요한 목표인 재미로부터 멀찌감치 떨어져 출발하게 됩니다. 첫 단추가 잘못 끼워지니 그 이후의 단추들도 제대로 끼워지기 어렵습니다. 아이가 처음 숫자를 보고 읽고 수를 셀 때의 희망찬 모습에서 어느덧 수 앞에만 서면 작아지는 아이의 모습으로 부모님의 새로운 걱정은 시작됩니다. 이를 바로잡으려 부모님께서 다시 힘을 내보려 하지만 너무 오래된 수학이 낯설고 멀게만 느껴집니다.

「칸토의 연산」은 아이에게는 아이의 시선에 맞게 문제의 형태와 양을 재미있게 구성하여 즐거운 시간이 될 수 있게 하였고, 부모님께는 아이를 가까이서 직접 지도할 수 있는 학습 가이드(칸토 쌤)를 제공하여 최고의 선생님이 될 수 있게 하였습니다.

수학을 잘하기 위해서는 한 문제를 끝까지 풀기 위한 노력과 끈기도 필요합니다. 하지만 수학을 잘하기 위해 지금 부모님께서 해야 할 일은 아이에게 수학에 대한 좋은 첫인상을 심어주는 것입니다. 문제 푸는 것을 어려워한다면 과감히 다음 기회로 넘기고 기다려주세요. 첫 만남이 나쁘지 않았던 우리 아이는 다시금 수학을 찾고 수학과 더 깊은 관계로 발전해 나갈 수 있을 거예요.

"초등 입학 전 연산
딱 4가지만 알고 가요."

취학 전 우리 아이가 반드시 학습해야 할 연산 주제 4가지를 제시합니다.

수 세기(1~50)

[수 세기 방법 4가지]
① 앞으로 세기 1, 2, 3, 4, 5, ……
② 거꾸로 세기 10, 9, 8, 7, ……
③ 이어 세기 5, 6, 7, 8, 9, ……
④ 묶어 세기 2, 4, 6, 8, 10, ……
　 (뛰어 세기)

수를 세는 과정에는 덧셈과 뺄셈의 원리가 숨어 있어요.
실생활 소재(음식, 물건, 계단)와 수 세기 모형(주사위, 수직선, 계란판)을 이용하여 반복하여 연습해 주세요.
아이의 수·연산 감각을 발달시킬 수 있는 출발점입니다.

수 계열(1~50)

[50까지의 수 배열표]

↑ 큰수
10 큰 수 →

1	2	3	4	5	6	7	8	9	10
11	12	13	14	15	16	17	18	19	20
21	22	23	24	25	26	27	28	29	30
31	32	33	34	35	36	37	38	39	40
41	42	43	44	45	46	47	48	49	50

10 작은 수 ↓
작은 수 →

50까지의 수 배열표를 관찰하며 수의 구성과 각 수들 간의 관계를 파악하고 50까지의 수를 익혀요. 수 배열표를 머릿속으로 그릴 수 있어야 해요.

모으기·가르기(1~9)

[모으기]

2　3

□

[가르기]

7

2　□

9까지의 수를 모으고 가르는 활동은 덧셈, 뺄셈의 기초이며 핵심 원리예요.
손가락뿐만 아니라 생활 속 다양한 구체물을 활용하여 반복적으로 연습해 보세요.

덧셈·뺄셈(0~9)

[동적 상황의 덧셈·뺄셈]

2 + 3 = □　　　7 − 2 = □

덧셈, 뺄셈은 동적인 상황(첨가, 제거)과 정적인 상황(합병, 비교) 2가지가 있어요. 이것을 잘 이해하면 덧셈·뺄셈 문장제 문제를 해결하는 데 큰 도움이 돼요.

단계별 구성

유아/3단계

단계	권	주제
5세	1	1부터 5까지의 수
	2	6부터 9까지의 수
	3	1부터 9까지의 수
	4	덧셈과 뺄셈의 기초
6세	1	0부터 10까지의 수
	2	10까지의 수에서 더하기·빼기 1
	3	20까지의 수에서 더하기·빼기 1, 10
	4	20까지의 수에서 더하기·빼기 1, 2, 10
7세	1	합이 9까지의 덧셈
	2	9까지의 뺄셈과 덧셈·뺄셈
	3	50까지의 수에서 더하기·빼기 1, 2, 10
	4	받아올림·내림 없는 (두 자리 수±한 자리 수)

칸토의 연산 시리즈
(9단계, 총 36권)

- 연산의 원리부터 재미있는 퍼즐형 문제까지 다루는 기본 난이도의 연산 교재
- 나선형 반복 학습과 확장 커리큘럼
- [칸토의 연산] ➡ [응용 연산]으로 이어지는 기본·심화 연산 학습 설계
- 단계별 4권, 9단계 총 36권 구성
- 한 단계 4개월 완성
- 학년별 교과서 진도와 맞춤 병행

초등/6단계

단계	권	주제
초1	1	덧셈구구
	2	뺄셈구구
	3	편리한 계산 전략
	4	100까지의 수, 받아올림·내림 없는 (두 자리 수±두 자리 수)
초2	1	받아올림·내림 있는 (두 자리 수±한 자리 수)
	2	받아올림·내림 있는 (두 자리 수±두 자리 수)
	3	곱셈의 기초와 곱셈구구(1)
	4	곱셈구구(2)
초3	1	받아올림·내림 있는 (세 자리 수±세 자리 수)
	2	나눗셈구구
	3	(세 자리 수×한 자리 수), (두 자리 수×두 자리 수)
	4	분수와 소수의 기초
초4	1	큰 수
	2	곱셈과 나눗셈
	3	분모가 같은 분수의 덧셈과 뺄셈
	4	소수의 덧셈과 뺄셈
초5	1	자연수의 혼합 계산
	2	약수와 배수, 약분과 통분
	3	분모가 다른 분수의 덧셈과 뺄셈
	4	분수의 곱셈, 소수의 곱셈
초6	1	분수의 나눗셈
	2	소수의 나눗셈
	3	비와 비율
	4	비례식과 비례배분

이 책의 칸토 구성과 특징

1 학습 안내 · 무엇을 공부할까요?

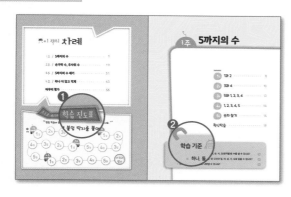

❶ 붙임 딱지를 붙여 학습 진도를 체크해요.

❷ 이번 주에 꼭 알아야 할 학습 기준을 체크해요.
공부 전에 간단히 살펴보고, 한 주 공부가 끝나면 반드시 확인해 보세요.

2 일일 학습 · 매주 5일씩 4주 동안 공부해요.

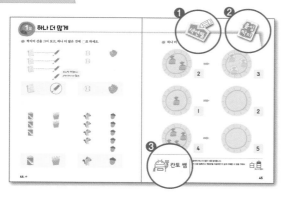

❶ 색연필을 사용하는 활동이에요.

❷ 붙임 딱지를 붙이는 활동이에요.

❸ 연산의 개념, 원리, 활용뿐만 아니라 아이의 학습 심리 상태를 파악할 수 있는 학습 가이드를 꼭 참고하세요.

3 확인 학습 · 이번주 배운 내용을 잘 알고 있나요?

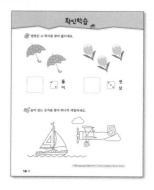

4 마무리 평가 · 4주 동안 배운 내용을 잘 알고 있나요?

이 책의 차례

스스로 체크하는 학습 진도표

"일일 학습이 끝나면 붙임 딱지를 붙여 학습 진도를 표시해 보세요."

출발

1주 1일 · · · 2일 · · · 3일 · · · 4일 · · · 5일 · · · 2주 1일 · · · 2일

4일 · · · 3일 · · · 2일 · · · 3주 1일 · · · 5일 · · · 4일 · · · 3일

5일 · · · 4주 1일 · · · 2일 · · · 3일 · · · 4일 · · · 5일 · · · 마무리 평가

1주 10까지의 수

학습 기준

● 10까지의 수를 하나, 둘, 셋(우리말) ······과 일, 이, 삼(한자말) ······으로 셀 수 있나요? □

● 10까지의 수를 읽고 쓸 수 있나요? □

● 수를 세어 10까지의 수로 나타낼 수 있나요? □

 **1, 2, 3, 4**

🐟 1과 2를 쓰세요.

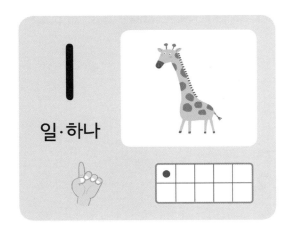

1

일·하나

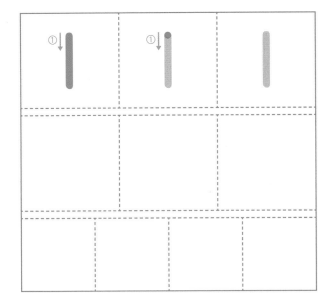

작게 쓸 줄도
알아야 해.

2

이·둘

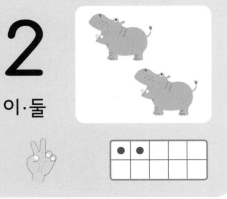

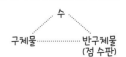 **3과 4를 쓰세요.**

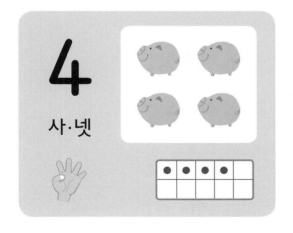

칸토 쌤 **|**주 차에서는 수의 다양한 표현 방법과 함께 **|**부터 **|0**까지의 수 쓰기를 공부해요. 우리말 수 세기(하나, 둘, 셋)와 한자말 수 세기(일, 이, 삼) **2**가지 방법으로 수를 말하며 순서에 맞게 수를 쓸 수 있도록 충분히 연습해 주세요.

수
구체물 ············· 반구체물
(점 수판)

 **2일** **5와 1, 2, 3, 4**

🐛 5를 쓰세요.

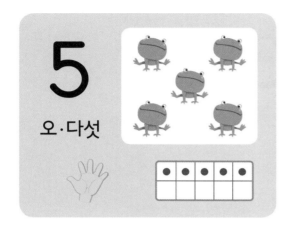

🐛 1부터 5까지의 수를 차례로 쓰세요.

1	2	3	4	5
일	이	삼	사	오
하나	둘	셋	넷	다섯

🐡 빈칸에 알맞은 수를 쓰세요.

쿨~ 쿨~
별 하나~
별 둘~
……

🤖 칸토 쌤 　숫자 쓰기를 할 때는 글자를 쓸 때와 마찬가지로 처음과 끝의 굵기가 같도록 연습해야 해요.
처음 쓰는 부분은 굵은데 끝부분이 가늘어지면 움직이는 선이 더 길어져 다른 숫자처럼 보일
수 있기 때문이에요.

2 ➔ 2
(3처럼 보임)

🐛 6과 7을 쓰세요.

6

육·여섯

나를 돌리면
9가 돼.

7

칠·일곱

 8과 9를 쓰세요.

4일 10과 6, 7, 8, 9

10을 쓰세요.

10

십 · 열

6부터 10까지의 수를 차례로 쓰세요.

6	7	8	9	10
육	칠	팔	구	십
여섯	일곱	여덟	아홉	열

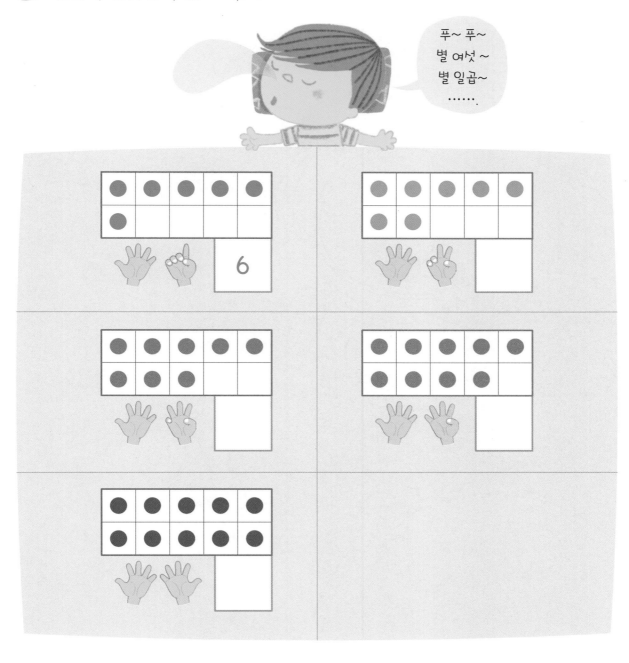

빈칸에 알맞은 수를 쓰세요.

칸토 쌤   하나부터 열까지 수를 셀 줄 아는 아이도 10을 보고 "일영"이라고 읽는 경우가 많아요. 9보다 1 큰 수가 10이라는 것을 알게 해 주고, 10까지의 수를 엄마가 불러 주고 아이 가 쓰는 연습도 해 보세요.

숫자 찾기

1부터 9까지의 숫자를 모두 찾아 색칠하세요.

겹쳐진 숫자를 모두 찾아 ◯표 하세요.

⬤ ① 2 ③ 4 5
6 7 8 ⑨

누구게?

1 2 3 4 5
6 7 8 9

1 2 3 4 5
6 7 8 9

칸토 쌤 | 숨은 숫자 찾기 문제는 아이들이 매우 재미있어 할 뿐만 아니라 숫자를 찾는 과정에서 집중력을 향상시킬 수 있어요. 실생활에서 숫자 쓴 종이를 집안 곳곳에 숨겨 아이와 숫자 찾기 놀이를 해 보세요.

찾았다.
5

확인학습

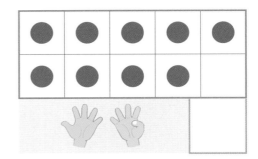 알맞은 수를 빈칸에 쓰세요.

 겹쳐진 숫자를 모두 찾아 ◯표 하세요.

1	2	3	4	5
6	7	8	9	

1	2	3	4	5
6	7	8	9	

→ 7쪽으로 돌아가 1주 차 학습 기준을 달성했는지 체크해 보세요.

10까지의 수 세기

학습 기준

- 그림의 수를 세어 손가락 수와 점 수판으로 나타낼 수 있나요? ☐

- 10까지의 수를 세어 1, 2, 3 ⋯⋯으로 나타낼 수 있나요? ☐

- 10까지의 개수만큼 그림을 묶거나 붙임 딱지를 붙일 수 있나요? ☐

- 여러 종류가 섞인 그림을 보고 따로 셀 수 있나요? ☐

손가락 수, 점 수판

수에 맞게 손가락 수 딱지를 찾아 붙이세요.

왼쪽 손부터 손가락을 하나씩 펴 봐.

개수에 맞게 점 수판 딱지를 붙이세요.

2

4

1

3

몇 개일까요?

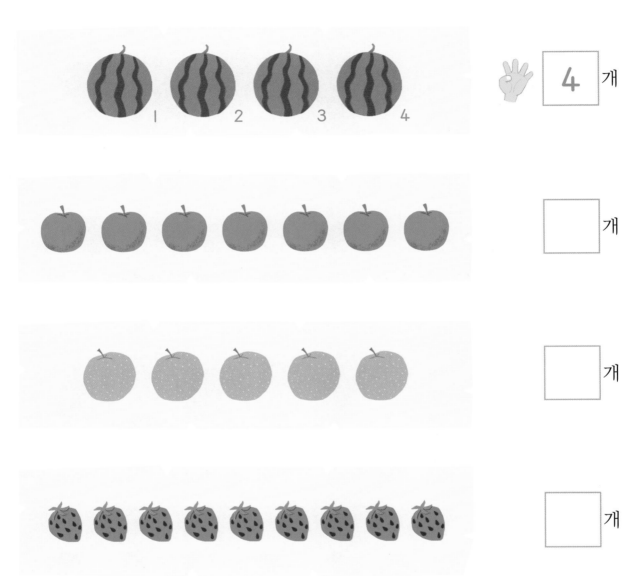

4 개

개

개

개

개

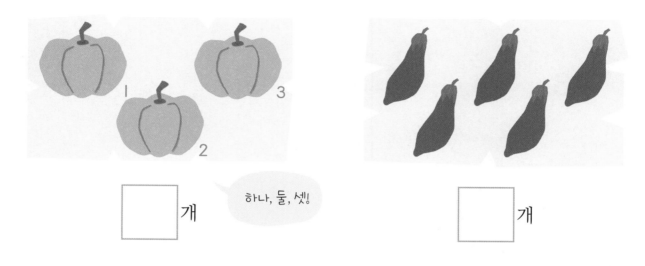

수를 세어 보세요.

하나, 둘, 셋!

☐ 개

☐ 개

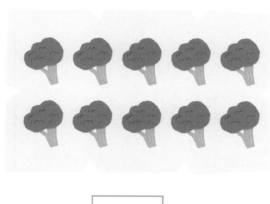

☐ 개

☐ 개

칸토 쌤 │ 구체물의 개수를 수로 나타내는 활동이에요. 구체물을 손가락으로 하나씩 짚어가며 왼쪽에서 오른쪽으로, 위에서 아래로 기준을 정하여 셀 수 있도록 연습해 주세요.

23

3일 개수만큼

수만큼 묶으세요.

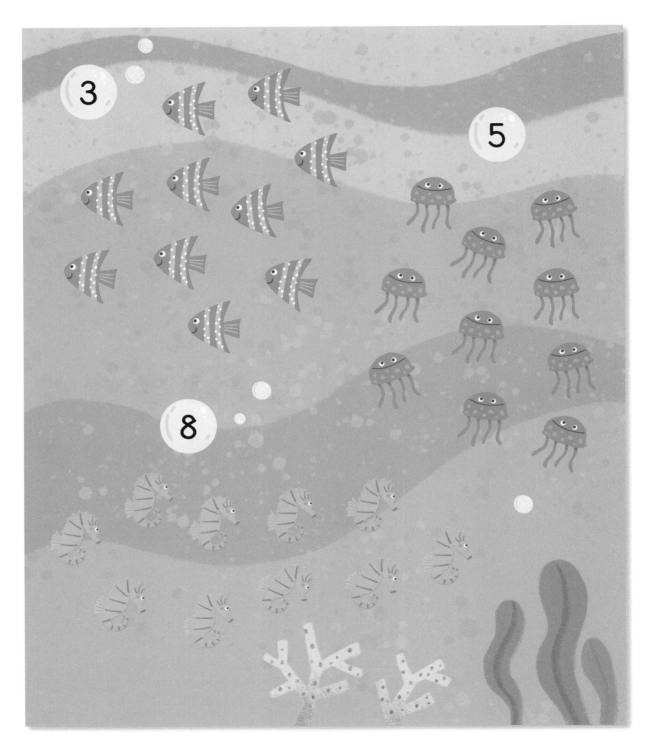

개수에 맞게 모자란 것을 세어 붙이세요.

아이스크림 5개
주세요.

5

4

6

8

따로 세기

수를 세어 보세요.

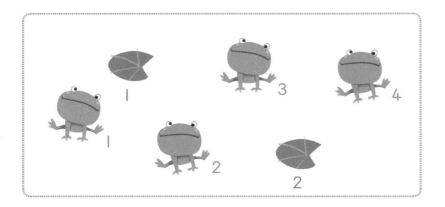

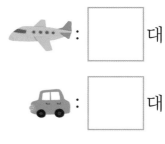

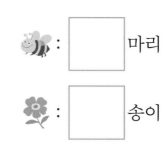

동물을 찾아 세어 보세요.

🐘 : **2** 마리   🦓 : ☐ 마리   🐵 : ☐ 마리

🦛 : ☐ 마리   🦒 : ☐ 마리

길따라 세기

동물들이 가져가는 먹이의 개수를 세어 빈칸에 쓰세요.

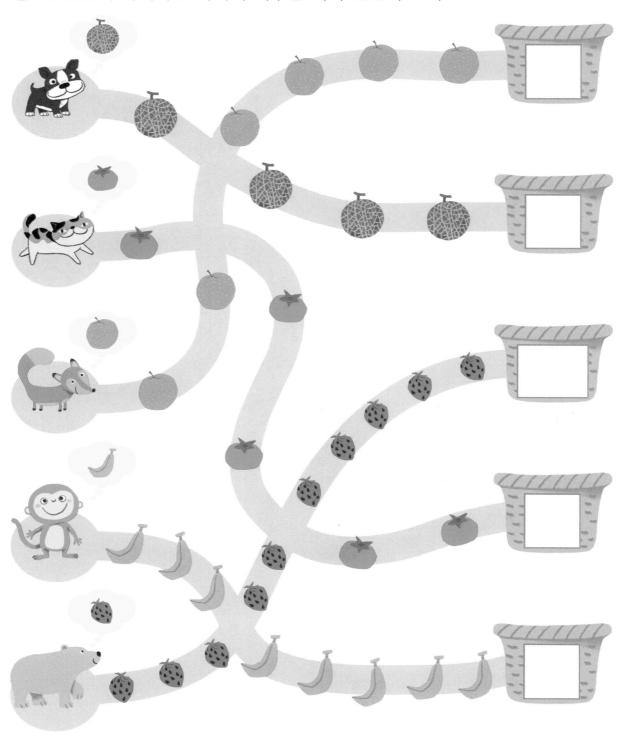

개수만큼 당근을 모아 집에 가도록 선으로 이으세요.

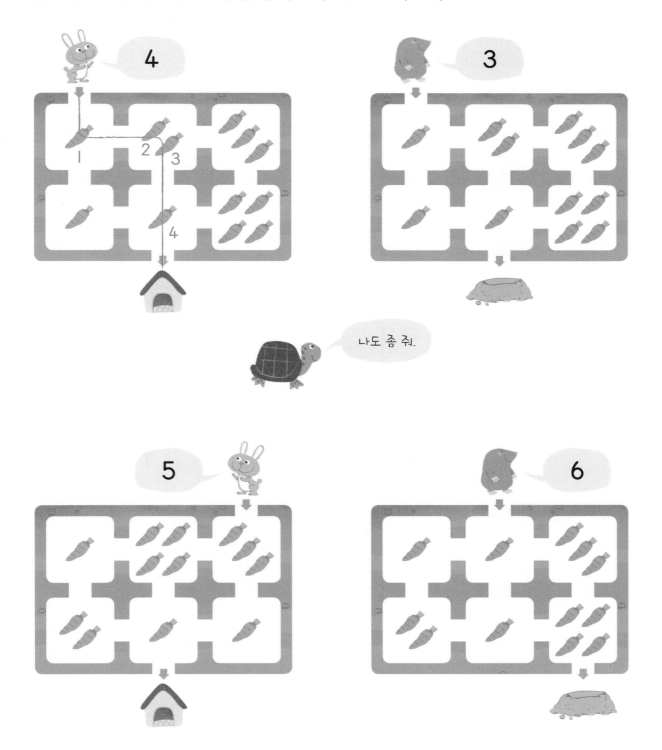

확인학습

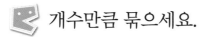 개수만큼 묶으세요.

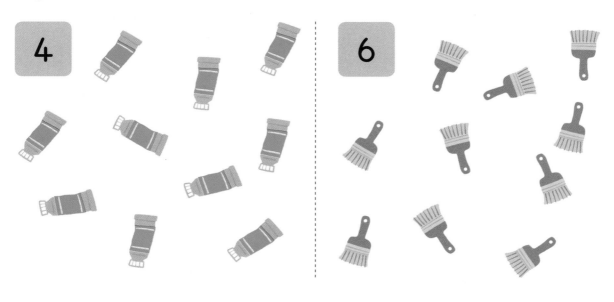

4

6

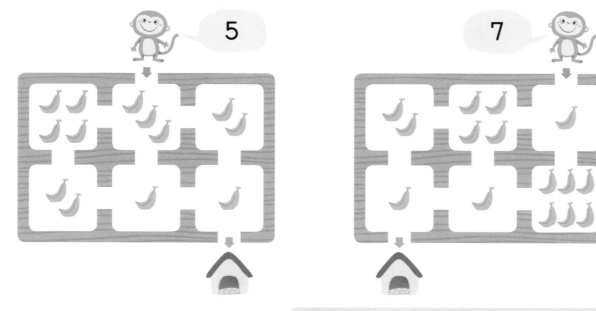 개수만큼 바나나를 모아 집에 가도록 선으로 이으세요.

5

7

→ 19쪽으로 돌아가 2주 차 학습 기준을 달성했는지 체크해 보세요.

3주 10까지의 수의 순서

학습 기준

- 어떤 수부터 하나씩 더 많은 수를 알고, 앞으로 수를 차례로 셀 수 있나요? ☐
- 어떤 수부터 하나씩 더 적은 수를 알고, 거꾸로 수를 차례로 셀 수 있나요? ☐
- 1부터 10까지, 10부터 1까지의 수의 순서를 알 수 있나요? ☐
- 0의 의미를 알고, 읽고 쓸 수 있나요? ☐

하나씩 많아져요

🐛 하나씩 많아져요. 빈칸에 알맞은 수를 쓰세요.

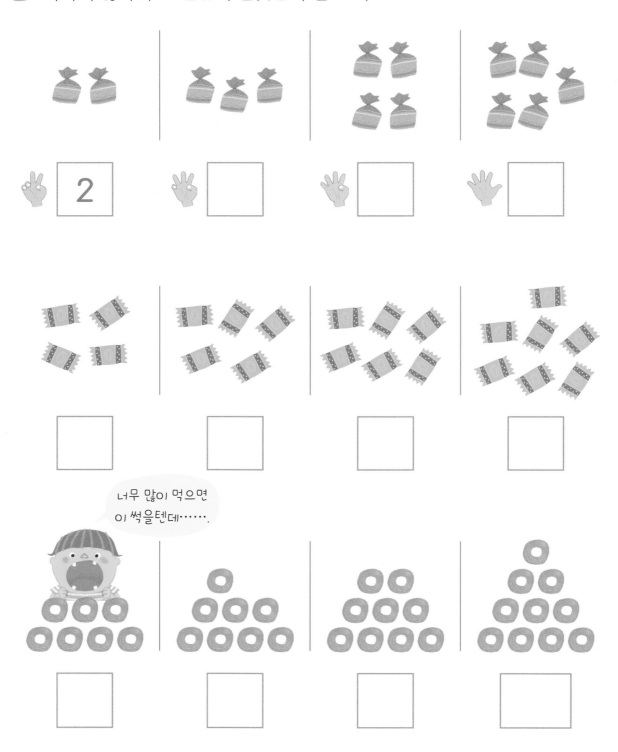

너무 많이 먹으면
이 썩을텐데……

하나씩 많아지도록 빈칸에 수를 쓰세요.

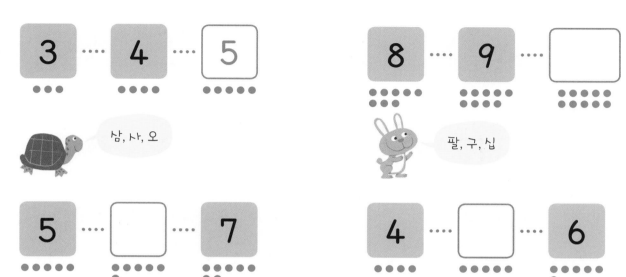

삼, 사, 오

팔, 구, 십

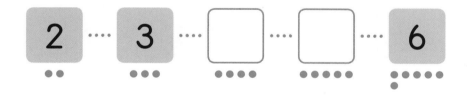

손가락을 펴가며
수를 세어 봐!

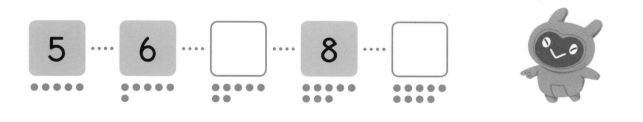

칸토 쌤 | 하나씩 많아지는 수의 양을 연속적으로 관찰하며 수의 순서(앞으로 세기)의 기초를 다집니다.

하나 더 많은 수   하나 더 많은 수
3   4   5

2일 1부터 10까지

🐛 1부터 10까지 수를 차례로 이으세요.

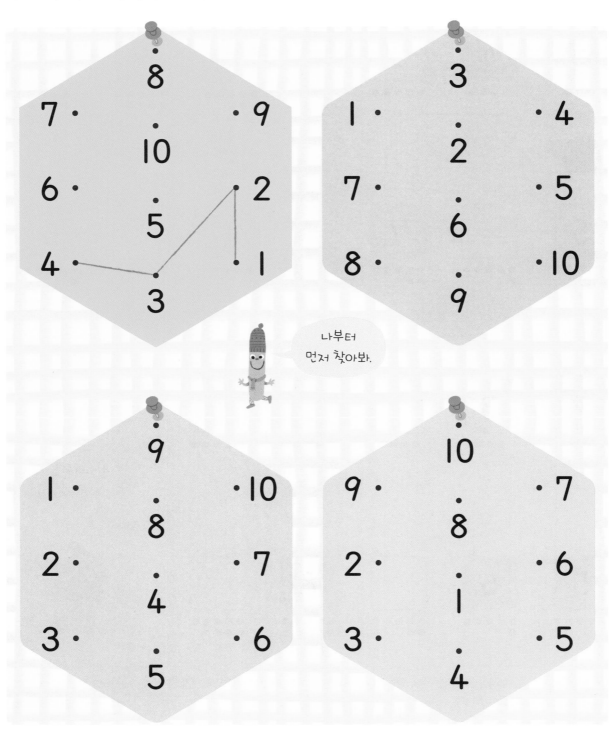

나부터
먼저 찾아봐.

1부터 10까지 수를 차례로 이으세요.

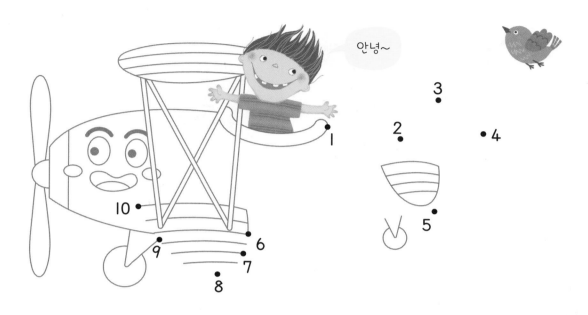

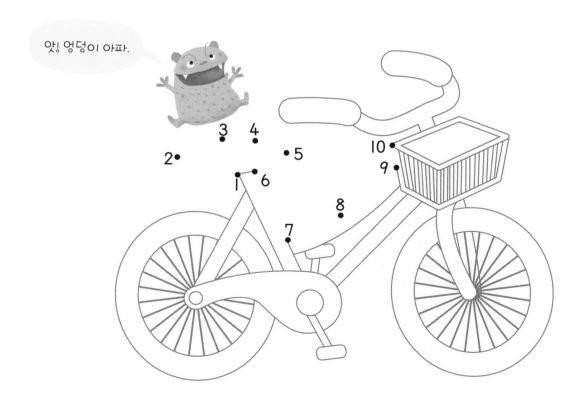

3일 하나씩 적어져요, 0

하나씩 적어져요. 빈칸에 알맞은 수를 쓰세요.

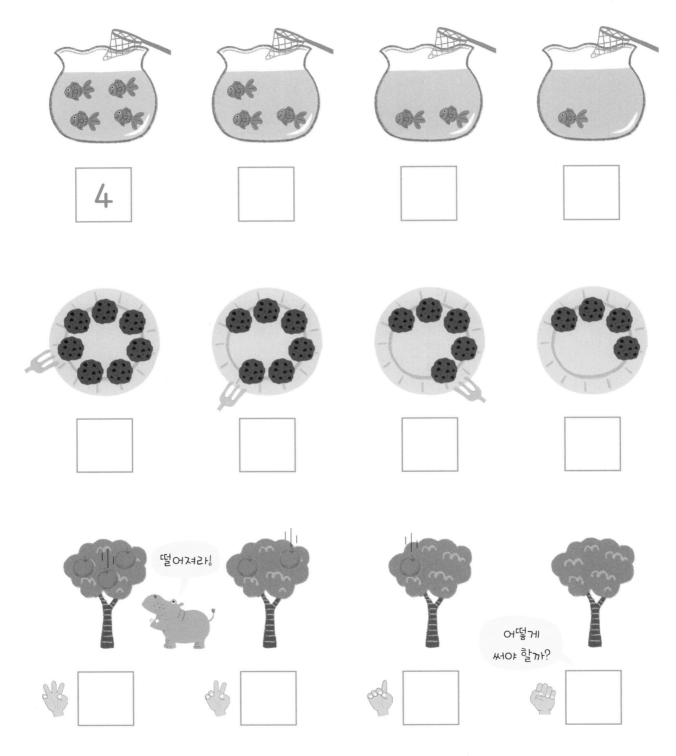

 0을 쓰세요.

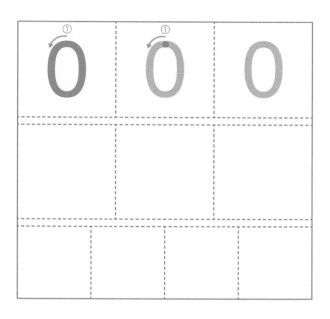

 하나씩 적어지도록 빈칸에 알맞은 수를 쓰세요.

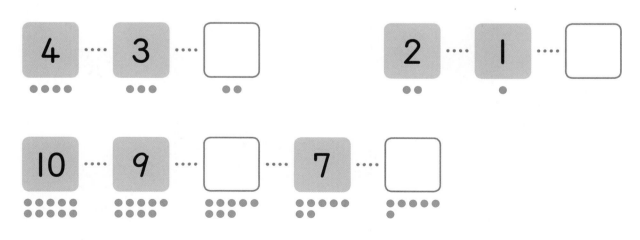

칸토 쌤 | 하나씩 적어지는 수의 양을 연속적으로 관찰하며 수의 순서(거꾸로 세기)의 기초를 다집니다. 그리고 '0'의 개념은 처음에는 있었는데 하나씩 없어져서 나중에는 아무것도 없게 되는 상황으로 이해시켜주세요.

10부터 1까지

앞으로 또는 거꾸로 수를 차례로 세어 빈 곳에 알맞은 수를 쓰세요.

10부터 거꾸로 수를 세어 1까지 선으로 이으세요.

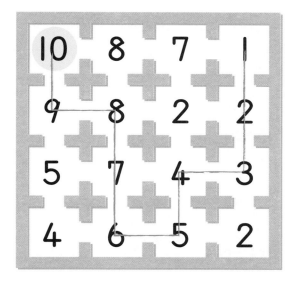

우리 집은 1이 적힌 곳이야.

목표를 정하고 가면 길을 잃지 않아.

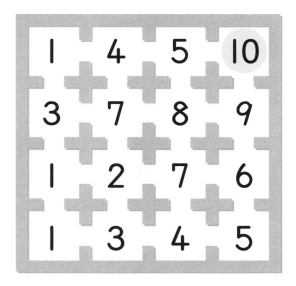

5일 앞으로, 거꾸로 세기

🐛 하나씩 더 많게, 하나씩 더 적게 수를 쓰세요.

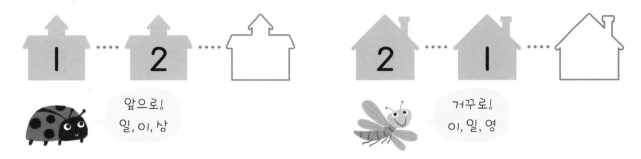

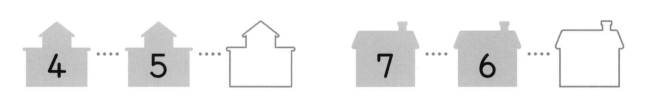

🐛 0부터 9까지의 수 중에서 빠진 수를 쓰세요.

앞으로 또는 거꾸로 수를 세어 봐

1	2	3
4	5	6
	8	9
*	0	#

0	1	2
5	4	3
6	7	8
*		#

3	9	
5	6	1
4	7	8
*	0	#

8	5	7
2		3
6	4	9
*	1	#

1부터 10까지 수를 차례로 이으세요.

개골

하나씩 더 많게, 하나씩 더 적게 수를 쓰세요.

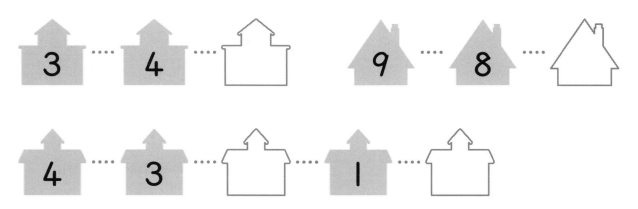

➜ 31쪽으로 돌아가 3주 차 학습 기준을 달성했는지 체크해 보세요.

4 주 덧셈과 뺄셈의 기초

학습 기준

- 그림이 나타내는 덧셈식을 찾을 수 있나요? ☐

- 그림을 보고 덧셈을 할 수 있나요? ☐

- 그림이 나타내는 뺄셈식을 찾을 수 있나요? ☐

- 그림을 보고 뺄셈을 할 수 있나요? ☐

1일 더하기

알맞은 식을 찾아 선으로 이으세요.

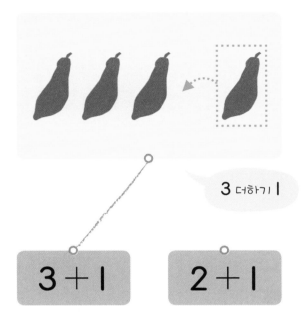

3 더하기 1

3+1	2+1

2+5	2+3

도토리 5개에서
4개를 더 모았어.

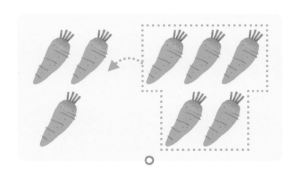

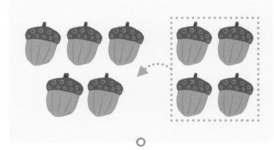

4+3	3+5

5+4	6+2

알맞은 식을 찾아 선으로 이으세요.

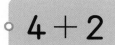

4 더하기 5

4 + 2

7 + 1

3 + 4

4 + 5

 **덧셈**

빨래 딱지 3개를 더 붙이고 덧셈을 하세요.

$4 + 3 =$ □

🐟 덧셈을 하세요.

$4 + 2 = \boxed{}$

4 더하기 2는
6입니다.

$1 + 4 = \boxed{}$

1 더하기 4는
5와 같습니다.

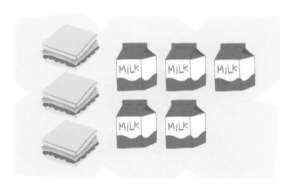

$3 + 5 = \boxed{}$

$6 + 3 = \boxed{}$

 칸토 쌤   덧셈에는 '첨가'와 '합병' 2가지 개념이 있어요.
① **첨가(동적 개념)**: 처음 주어진 양에 두 번째 양이 더해지는 상황
② **합병(정적 개념)**: 2개의 양을 더하는 상황

$2 + 1 = 3$

첨가   합병

알맞은 식을 찾아 선으로 이으세요.

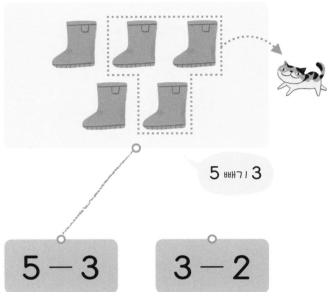

5 빼기 3

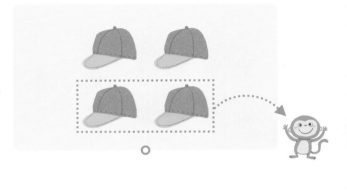

5 – 3	3 – 2

6 – 3	4 – 2

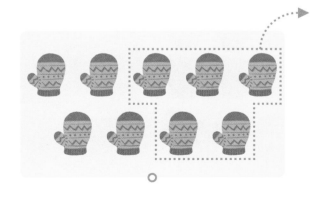

9 – 4	9 – 5

8 – 4	8 – 3

알맞은 식을 찾아 선으로 이으세요.

5 빼기 4

6 − 3

5 − 4

모자라는 상황에서는
빼기를 사용해.

7 − 5

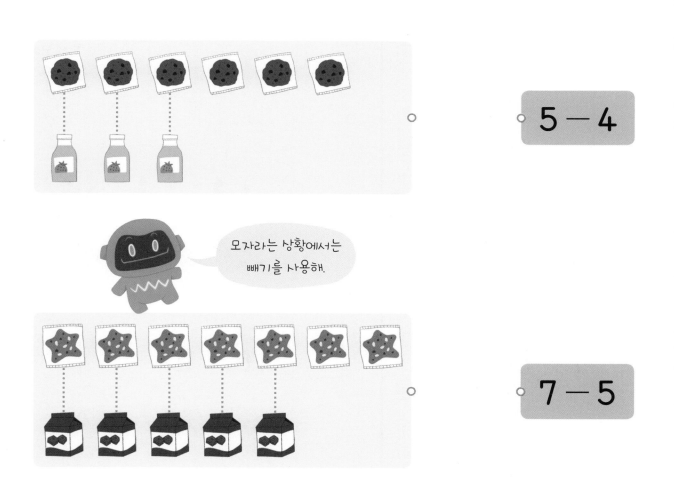

4일 뺄셈

🐟 뺄셈을 하세요.

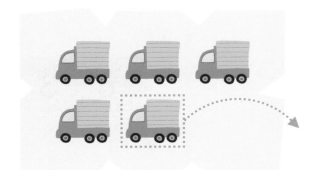

$$5 - 1 = \boxed{4}$$

5 빼기 1은 4입니다.

$$4 - 3 = \boxed{}$$

몇 대 남아?

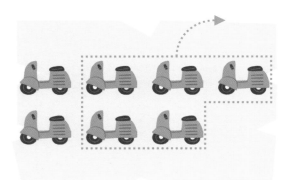

$$7 - 5 = \boxed{}$$

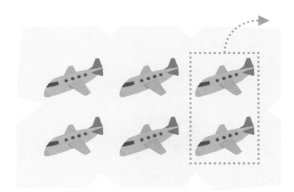

$$6 - 2 = \boxed{}$$

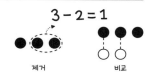

뺄셈을 하세요.

$5 - 3 = \boxed{2}$

집이 2개 모자라.

5 빼기 3은 2와 같습니다.

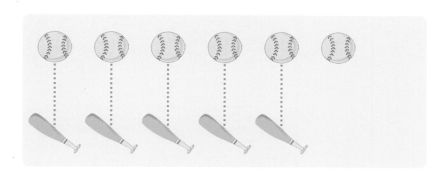

$6 - 5 = \boxed{}$

$8 - 4 = \boxed{}$

칸토 쌤 뺄셈에는 '제거'와 '비교' 2가지 개념이 있어요.
① **제거(동적 개념):** 처음 주어진 양에서 문제에 주어진 양을 빼는 상황
② **비교(정적 개념):** 2개의 양을 비교하는 상황

$3 - 2 = 1$

제거   비교

덧셈과 뺄셈

손가락을 보고 덧셈과 뺄셈을 하세요.

이렇게
두 손을 펴 봐!

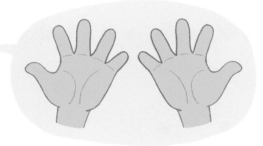

4 + 1 = **5**

5 − 2 = **3**

2 + 2 = ☐

3 − 1 = ☐

5 + 5 = ☐

5 5 − 3 = ☐

점 수판을 보고 덧셈과 뺄셈을 하세요.

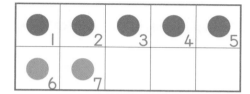

$$5 + 2 = \boxed{}$$

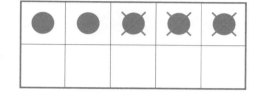

$$5 - 3 = \boxed{}$$

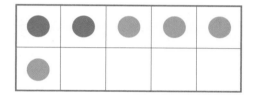

$$2 + 4 = \boxed{}$$

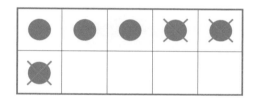

$$6 - 3 = \boxed{}$$

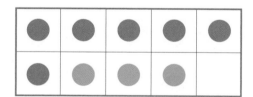

$$6 + 3 = \boxed{}$$

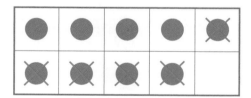

$$9 - 5 = \boxed{}$$

칸토 쌤 | 손가락과 점 수판은 덧셈, 뺄셈을 쉽게 해주는 매우 유용한 계산기 역할을 해요. 실생활에서 두 모형을 이용하여 덧셈, 뺄셈을 하는 기회를 많이 가져보세요.

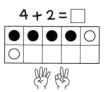

확인학습

 알맞은 식을 찾아 선으로 이으세요.

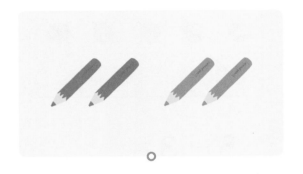

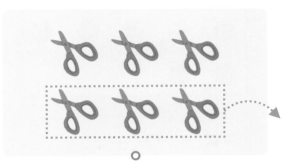

| 1 + 2 | 2 + 2 | 6 - 3 | 6 - 2 |

 점 수판을 보고 덧셈과 뺄셈을 하세요.

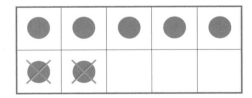

$$5 + 3 = \boxed{}$$

$$7 - 2 = \boxed{}$$

➡ 43쪽으로 돌아가 4주 차 학습 기준을 달성했는지 체크해 보세요.

마무리 평가

66 마무리 평가에서는 1, 2, 3, 4주 차의 유형이 순서대로 나옵니다.
문제가 틀리면 몇 주 차인지 확인하여 반드시 다시 한번 복습합니다.

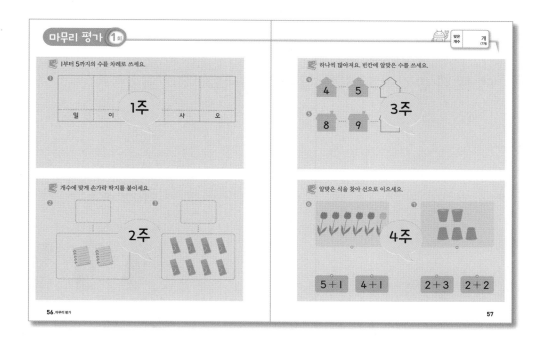

I부터 5까지의 수를 차례로 쓰세요.

❶

일	이	삼	사	오

개수에 맞게 손가락 딱지를 찾아 붙이세요.

❷

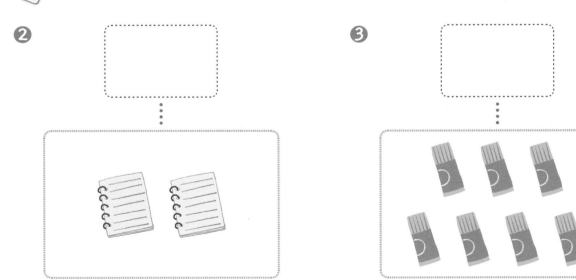

❸

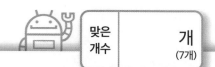
 하나씩 많아져요. 빈칸에 알맞은 수를 쓰세요.

❹ 2 ···· 3 ····

❺ 7 ···· 8 ···· ····

 알맞은 식을 찾아 선으로 이으세요.

❻

❼

2+2   3+2

5+1   4+1

6부터 10까지의 수를 차례로 쓰세요.

❶

육	칠	팔	구	십

수를 세어 보세요.

❷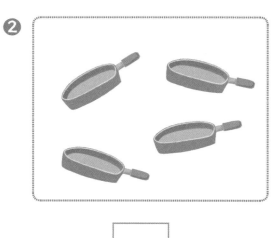

☐ 개

❸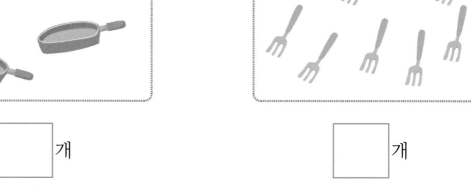

☐ 개

1부터 10까지 수를 차례로 이으세요.

❹

10
1 · · 9
· 8
2 · · 7
· 6
3 · · 5
4

❺

i
4 · · 2
· 3
5 · · 10
· 7
6 · · 9
8

덧셈을 하세요.

❻

$2 + 2 = \boxed{}$

❼

$3 + 4 = \boxed{}$

📢 빈칸에 알맞은 수를 쓰세요.

❶

❷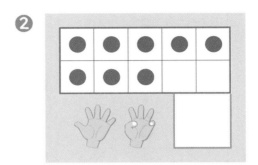

📢 수만큼 묶으세요.

❸ 3

❹ 7

하나씩 적어져요. 빈 곳에 알맞은 수를 쓰세요.

❺

❻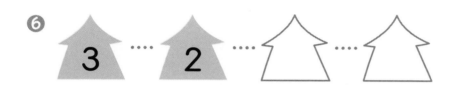

알맞은 식을 찾아 선으로 이으세요.

❼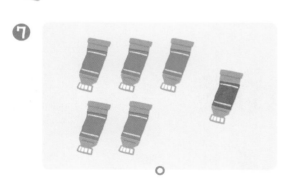

❽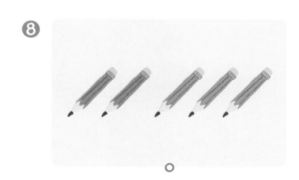

5+1　　4+1　　　　2+3　　2+2

61

겹쳐진 숫자를 모두 찾아 ○표 하세요.

① **8 2 5**

1	2	3	4	5

6　7　8　9

수를 세어 보세요.

②

🐵 : ☐ 마리

🍌 : ☐ 개

10부터 거꾸로 수를 세어 1까지 선으로 이으세요.

❸
10	9	5	4
8	8	7	6
7	3	4	5
6	2	1	3

❹
8	7	3	1
9	6	5	2
10	7	4	3
6	3	5	1

뺄셈을 하세요.

❺

$$4 - 2 = \boxed{}$$

❻

$$7 - 4 = \boxed{}$$

📑 겹쳐진 숫자를 모두 찾아 ◯표 하세요.

❶

| 1 | 2 | 3 | 4 | 5 |
| 6 | 7 | 8 | 9 | |

📑 수만큼 생선을 모아 집에 가도록 선으로 이으세요.

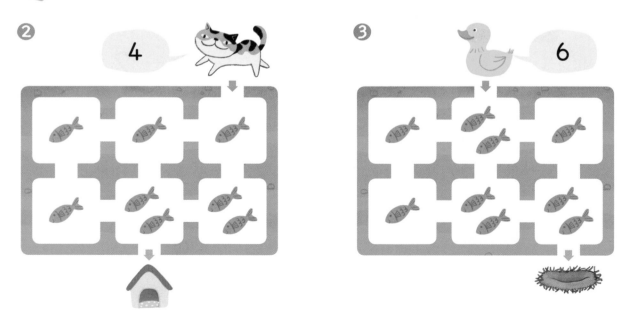

❷ 4

❸ 6

🎮 0부터 9까지의 수 중에서 빠진 수를 쓰세요.

❹
1	8	4
5	9	7
	6	2
*	0	#

❺
5		2
4	1	3
6	0	9
*	7	#

🎮 점 수판을 보고 덧셈과 뺄셈을 하세요.

❻

$5 + 4 =$ ☐

❼

$8 - 2 =$ ☐

MEMO

MEMO

MEMO

유아 연산의 기준

칸토의 연산

정답

0부터 10까지의 수

1주: 10까지의 수

1일 1, 2, 3, 4

🐷 1과 2를 쓰세요.

일·하나

작게 쓸 줄도 알아야 해.

이·둘

🐷 3과 4를 쓰세요.

삼·셋

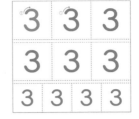

4
사·넷

칸토 쌤 1주 차에서는 수의 다양한 표현 방법과 함께 1부터 10까지의 수 쓰기를 공부해요. 우리말 수 세기(하나, 둘, 셋)와 한자말 수 세기(일, 이, 삼) 2가지 방법으로 수를 말하며 순서에 맞게 수를 쓸 수 있도록 충분히 연습해 주세요.

8_1주

9

2일 5와 1, 2, 3, 4

🐷 5를 쓰세요.

5
오·다섯

🐷 1부터 5까지의 수를 차례로 쓰세요.

1	2	3	4	5
일	이	삼	사	오
1	2	3	4	5
하나	둘	셋	넷	다섯

🐷 빈칸에 알맞은 수를 쓰세요.

쿨~ 쿨~ 별 하나~ 별 둘~ ······

칸토 쌤 숫자 쓰기를 할 때는 글자를 쓸 때와 마찬가지로 처음과 끝의 굵기가 같도록 연습해야 해요. 처음 쓰는 부분은 굵은데 끝부분이 가늘어지면 움직이는 선이 더 길어져 다른 숫자처럼 보일 수 있기 때문이에요.

2 - 2
(13쪽을 보세요)

10_1주

11

2

3일 6, 7, 8, 9

🍪 6과 7을 쓰세요.

육·여섯

나를 돌리면
9가 돼

6	6	6
6	6	6
6	6	6	6

7

칠·일곱

7	7	7
7	7	7
7	7	7	7

🍪 8과 9를 쓰세요.

8

팔·여덟

8	8	8
8	8	8
8	8	8	8

9

구·아홉

9	9	9
9	9	9
9	9	9	9

🚌 **칸토 쌤** 숫자를 바르게 쓰지 못하면 학년이 올라갈수록 사용하는 수가 크고 많아져 오답이 더 자주 나올 수 있어요. 6을 짧게 쓰면 0처럼 보이고 9를 두 번에 걸쳐 쓰면 01처럼 보일 수 있어요. 처음부터 숫자를 올바르게 쓰는 습관을 들이도록 연습해 주세요.

b → 6
10차시 화면

🔵 **4**일 10과 6, 7, 8, 9

🍪 10을 쓰세요.

10

십·열

10	10	10
10	10	10
10	10	10	10

🍪 6부터 10까지의 수를 차례로 쓰세요.

6	7	8	9	10
육	칠	팔	구	십
6	7	8	9	10
여섯	일곱	여덟	아홉	열

🍪 빈칸에 알맞은 수를 쓰세요.

푸~ 푸~
별 여섯~
별 일곱~
······

🚌 **칸토 쌤** 하나부터 열까지 수를 셀 줄 아는 아이도 10을 보고 "일영"이라고 읽는 경우가 많아요. 9보다 1 큰 수가 10이라는 것을 알게 해 주고, 10까지의 수를 엄마가 불러 주고 아이가 쓰는 연습도 해 보세요.

10
정답

5일 숫자 찾기

🎨 1부터 9까지의 숫자를 모두 찾아 색칠하세요.

숫자 별에
온 걸 환영해!

🔍 겹쳐진 숫자를 모두 찾아 ◯표 하세요.

| ① | 2 | ③ | 4 | 5 |
| 6 | 7 | 8 | ⑨ | |

누구게?

| 1 | 2 | 3 | ④ | ⑤ |
| 6 | 7 | ⑧ | 9 | |

| 1 | ② | 3 | 4 | ⑤ |
| ⑥ | ⑦ | 8 | 9 | |

또는 9

🖥 칸토 쌤 숨은 숫자 찾기 문제는 아이들이 매우 재미있어 할 뿐만 아니라 숫자를 찾는 과정에서 집중력을 향상시킬 수 있어요. 실생활에서 숫자 쓴 종이를 집안 곳곳에 숨겨 아이와 숫자 찾기 놀이를 해 보세요.

맞았다
5

확인학습

✏️ 알맞은 수를 빈칸에 쓰세요.

🔍 겹쳐진 숫자를 모두 찾아 ◯표 하세요.

| ① | ② | 3 | 4 | 5 |
| 6 | ⑦ | 8 | 9 | |

| 1 | 2 | ③ | ④ | ⑤ |
| 6 | 7 | ⑧ | 9 | |

→ 7쪽으로 돌아가 1주 차 학습 기준을 달성했는지 체크해 보세요

1주

2주: **10까지의 수 세기**

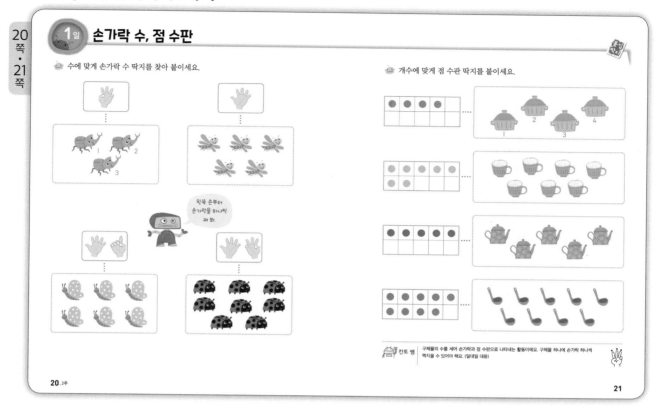

1일 손가락 수, 점 수판

수에 맞게 손가락 수 딱지를 찾아 붙이세요.

왼쪽 손부터 손가락을 하나씩 펴 봐.

개수에 맞게 점 수판 딱지를 붙이세요.

칸토 쌤 구체물의 수를 세어 손가락과 점 수판으로 나타내는 활동이에요. 구체물 하나에 손가락 하나씩 짝지을 수 있어야 해요. (일대일 대응)

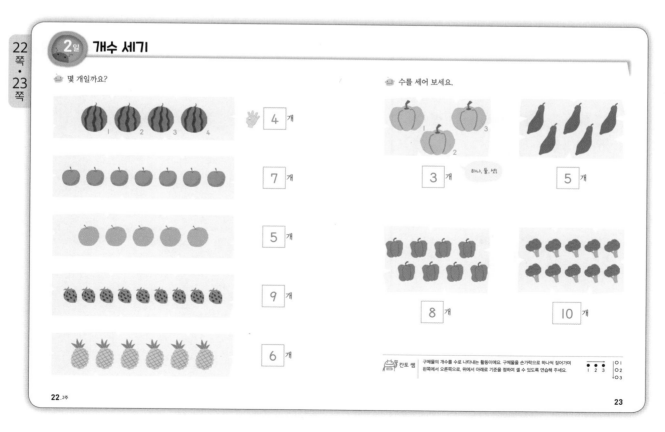

2일 개수 세기

몇 개일까요?

4 개

7 개

5 개

9 개

6 개

수를 세어 보세요.

3 개   하나, 둘, 셋!

5 개

8 개

10 개

칸토 쌤 구체물의 개수를 수로 나타내는 활동이에요. 구체물을 손가락으로 하나씩 짚어가며 왼쪽에서 오른쪽으로, 위에서 아래로 기준을 정하여 셀 수 있도록 연습해 주세요.

3일 **개수만큼**

수만큼 묶으세요.

개수에 맞게 모자란 것을 세어 붙이세요.

아이스크림 5개 주세요.

5

4

6

8

4일 **따로 세기**

수를 세어 보세요.

동물을 찾아 세어 보세요.

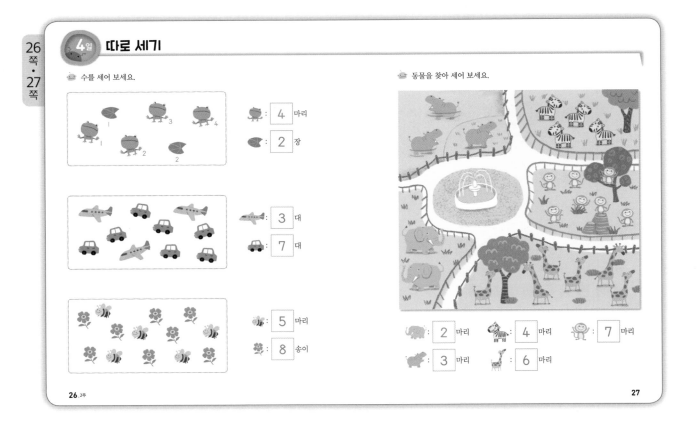

: 4 마리

: 2 장

: 3 대

: 7 대

: 5 마리

: 8 송이

: 2 마리   : 4 마리   : 7 마리

: 3 마리   : 6 마리

5일 길따라 세기

🐾 동물들이 가져가는 먹이의 개수를 세어 빈칸에 쓰세요.

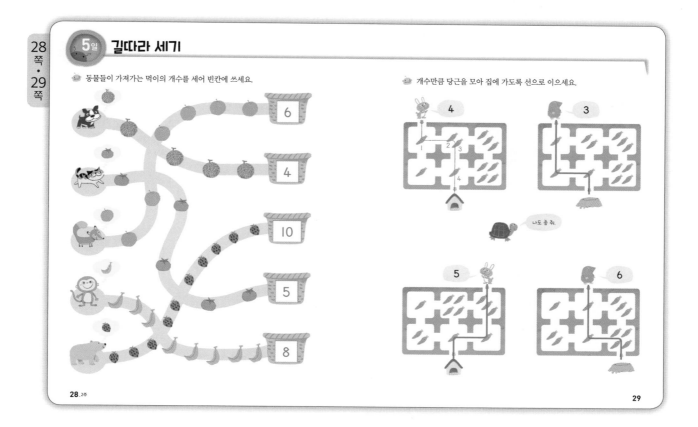

6
4
10
5
8

🐾 개수만큼 당근을 모아 집에 가도록 선으로 이으세요.

4

3

나도 좀 줘.

5

6

확인학습

📖 개수만큼 묶으세요.

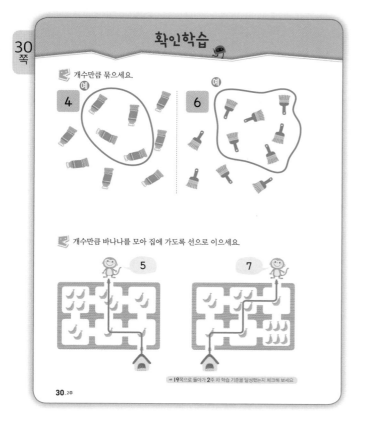

4 예

6 예

📖 개수만큼 바나나를 모아 집에 가도록 선으로 이으세요.

5

7

➡ 19쪽으로 돌아가 2주 차 학습 기준을 달성했는지 체크해 보세요

2주

정답

3주: 10까지의 수의 순서

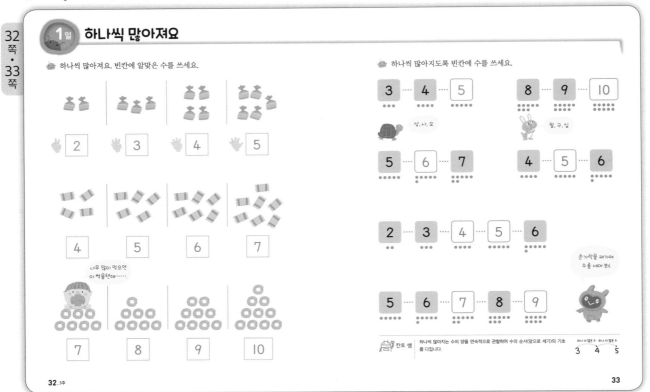

1일 하나씩 많아져요

32쪽 · 33쪽

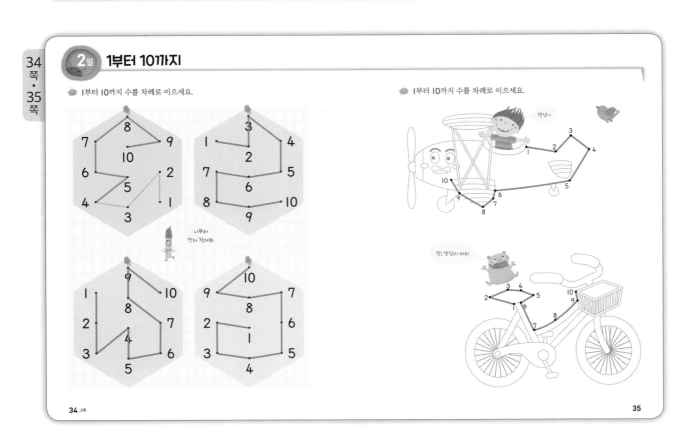

2일 1부터 10까지

34쪽 · 35쪽

3일 하나씩 적어져요, 0

🐛 하나씩 적어져요. 빈칸에 알맞은 수를 쓰세요.

| 4 | 3 | 2 | 1 |

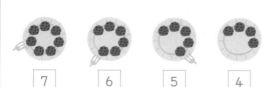

| 7 | 6 | 5 | 4 |

| 3 | 2 | 1 | 0 |

🐛 0을 쓰세요.

0
영

0
내 주어니에는
아무것도 없어.

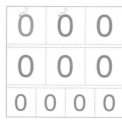

0	0	0
0	0	0
0	0	0	0

🐛 하나씩 적어지도록 빈칸에 알맞은 수를 쓰세요.

| 4 | 3 | 2 | | 2 | 1 | 0 |

| 10 | 9 | 8 | 7 | 6 |

🐾 칸토 쌤
하나씩 적어지는 수의 양을 연속적으로 관찰하며 수의 순서(거꾸로 세기)의 기초
를 다집니다. 그리고 '0'의 개념은 처음에는 있었는데 나중에 하나씩 없어져서 나중에는
아무것도 없게 되는 상황으로 이해시켜주세요.

하나 더 적은 수 하나 더 적은 수

0 1 2

4일 10부터 1까지

🐛 앞으로 또는 거꾸로 수를 차례로 세어 빈 곳에 알맞은 수를 쓰세요.

🐛 10부터 거꾸로 수를 세어 1까지 선으로 이으세요.

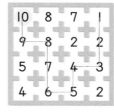

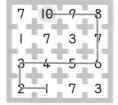

우리 집은 1이
적힌 곳이야.

목표를 정하고 가면
길을 잃지 않아.

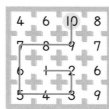

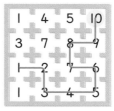

5일 앞으로, 거꾸로 세기

하나씩 더 많게, 하나씩 더 적게 수를 쓰세요.

1 … 2 … 3　　2 … 1 … 0

앞으로!
일, 이, 삼

거꾸로!
이, 일, 영

4 … 5 … 6　　7 … 6 … 5

8 … 9 … 10　　10 … 9 … 8

5 … 6 … 7 … 8 … 9

0부터 9까지의 수 중에서 빠진 수를 쓰세요.

1	2	3
4	5	6
7	8	9
*	0	#

0	1	2
5	4	3
6	7	8
*	9	#

앞으로 또는
거꾸로 수를 세어 봐!

3	9	2
5	6	1
4	7	8
*	0	#

8	5	7
2	0	3
6	4	9
*	1	#

칸토 쌤　수의 규칙을 찾아 빠진 수를 찾는 활동이에요.
아이와 함께 생활 속에서 1부터 10까지 수의 순서를 익혀 보세요.
☺ 어질러진 책 번호대로 정리하기, 휴대폰에서 순서대로 수 찾기, 초시계로 시간 재기

40_3주　　41

확인학습

1부터 10까지 수를 차례로 이으세요.

개굴

하나씩 더 많게, 하나씩 더 적게 수를 쓰세요.

3 … 4 … 5　　9 … 8 … 7

4 … 3 … 2 … 1 … 0

➡ 31쪽으로 돌아가 3주 차 학습 기준을 달성했는지 체크해 보세요.

42_3주

3주

10

4주: 덧셈과 뺄셈의 기초

44
쪽·
45
쪽

1일 더하기

알맞은 식을 찾아 선으로 이으세요.

알맞은 식을 찾아 선으로 이으세요.

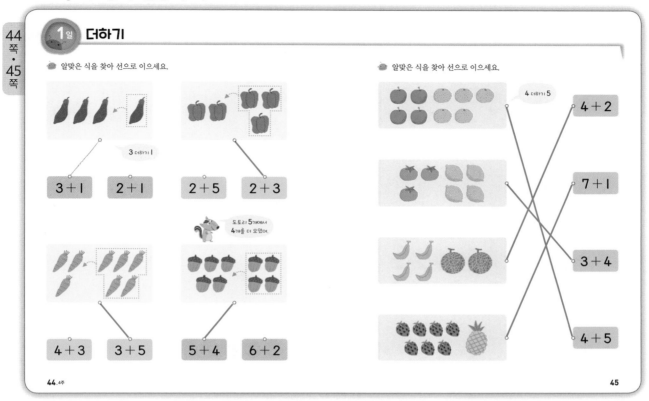

46
쪽·
47
쪽

2일 덧셈

빨래 딱지 3개를 더 붙이고 덧셈을 하세요.

덧셈을 하세요.

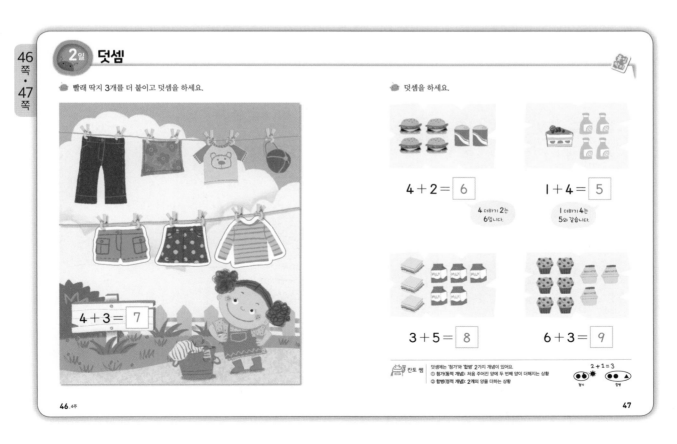

$4 + 3 = \boxed{7}$

$4 + 2 = \boxed{6}$ $1 + 4 = \boxed{5}$

$3 + 5 = \boxed{8}$ $6 + 3 = \boxed{9}$

48 쪽 · 49 쪽

3일 빼기

알맞은 식을 찾아 선으로 이으세요.

알맞은 식을 찾아 선으로 이으세요.

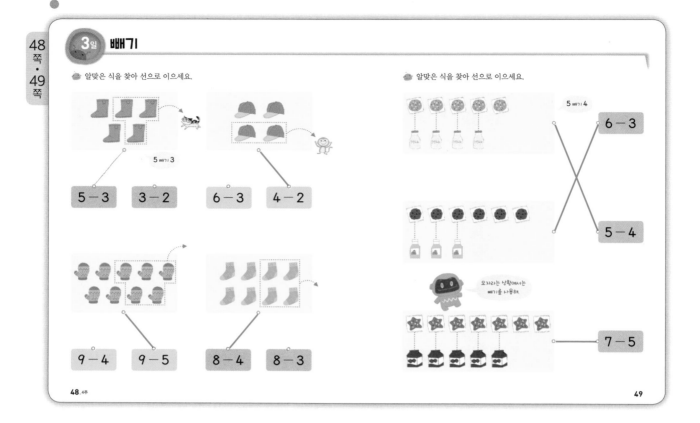

50 쪽 · 51 쪽

4일 뺄셈

뺄셈을 하세요.

뺄셈을 하세요.

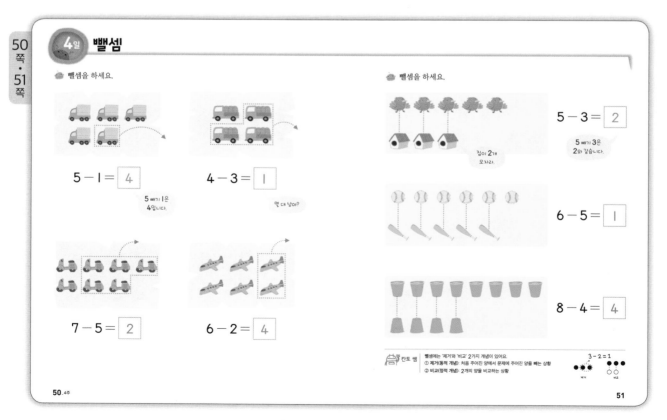

$5 - 1 = \boxed{4}$

$4 - 3 = \boxed{1}$

$7 - 5 = \boxed{2}$

$6 - 2 = \boxed{4}$

$5 - 3 = \boxed{2}$

$6 - 5 = \boxed{1}$

$8 - 4 = \boxed{4}$

5일 덧셈과 뺄셈

🌀 손가락을 보고 덧셈과 뺄셈을 하세요.

$+$ $=$ 5

$-$ $=$ 3

$+$ $=$ 4

$-$ $=$ 2

$+$ $=$ 9

$-$ $=$ 5

🌀 점 수판을 보고 덧셈과 뺄셈을 하세요.

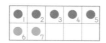 

$5 + 2 = 7$

$5 - 3 = 2$

$2 + 4 = 6$

$6 - 3 = 3$

$6 + 3 = 9$

$9 - 5 = 4$

🚗 칸토 쌤 손가락과 점 수판은 덧셈, 뺄셈을 쉽게 해주는 매우 유용한 계산기 역할을 해요. 실생활에서 두 모형을 이용하여 덧셈, 뺄셈을 하는 기회를 많이 가져보세요.

52 .4주

53

확인학습

📖 알맞은 식을 찾아 선으로 이으세요.

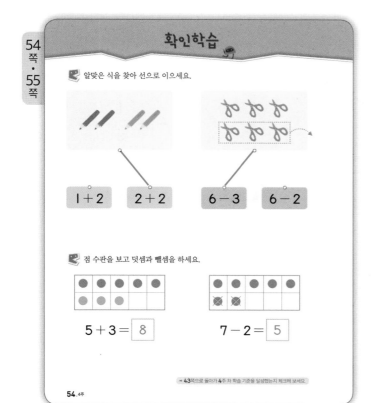

| $1+2$ | $2+2$ | $6-3$ | $6-2$ |

📖 점 수판을 보고 덧셈과 뺄셈을 하세요.

$5 + 3 = 8$

$7 - 2 = 5$

➡ 43쪽으로 돌아가 4주 차 학습 기준을 달성했는지 체크해 보세요

54 .4주

4주

13

정답

 마무리 평가

마무리 평가 1회

 맞은 개수 □ 개 (7개)

📖 1부터 5까지의 수를 차례로 쓰세요.

❶

1	2	3	4	5
일	이	삼	사	오

📖 하나씩 많아져요. 빈칸에 알맞은 수를 쓰세요.

❹  2 … 3 … 4

❺  7 … 8 … 9 … 10

📖 개수에 맞게 손가락 딱지를 찾아 붙이세요.

❷

❸

📖 알맞은 식을 찾아 선으로 이으세요.

❻

2+2   3+2

❼

5+1   4+1

마무리 평가 2회

맞은 개수 □ 개 (7개)

📖 6부터 10까지의 수를 차례로 쓰세요.

❶

6	7	8	9	10
육	칠	팔	구	십

📖 1부터 10까지 수를 차례로 이으세요.

❹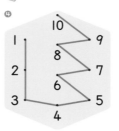

❺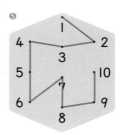

📖 수를 세어 보세요.

❷

4 개

❸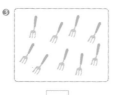

9 개

📖 덧셈을 하세요.

❻

2+2= 4

❼

3+4= 7

14

마무리 평가 3회

맞은 개수 | 개 (8개)

✍ 빈칸에 알맞은 수를 쓰세요.

① 5

② 8

✍ 하나씩 적어져요. 빈 곳에 알맞은 수를 쓰세요.

⑤ 8 ···· 7 ···· 6

⑥ 3 ···· 2 ···· 1 ···· 0

✍ 수만큼 묶으세요.

③ 3 예

④ 7 예

✍ 알맞은 식을 찾아 선으로 이으세요.

⑦ 5+1 4+1

⑧ 2+3 2+2

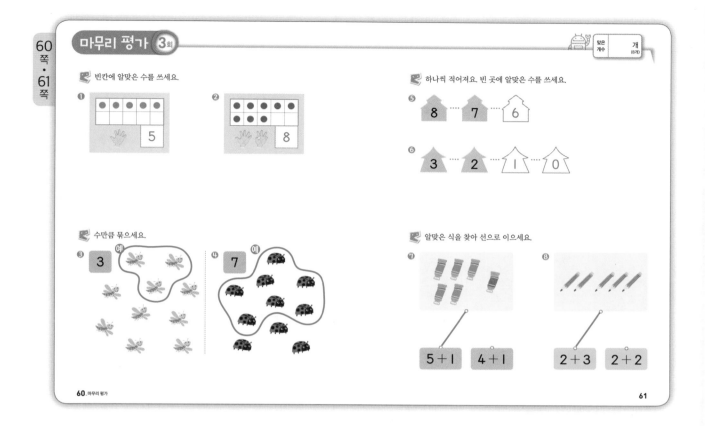

마무리 평가 4회

맞은 개수 | 개 (6개)

✍ 겹쳐진 숫자를 모두 찾아 ○표 하세요.

① 825 1 ② 3 4 ⑤
6 7 ⑧ 9

✍ 10부터 거꾸로 수를 세어 1까지 선으로 이으세요.

③
10 9 8 4
8 8 7 6
7 3 4 5
6 2 1 3

④
8 9 6 3
7 6 5 2
10 7 4 1
8 3 5 1

✍ 수를 세어 보세요.

②

🐵 : 6 마리

🍌 : 4 개

✍ 뺄셈을 하세요.

⑤ 4 - 2 = 2

⑥ 7 - 4 = 3

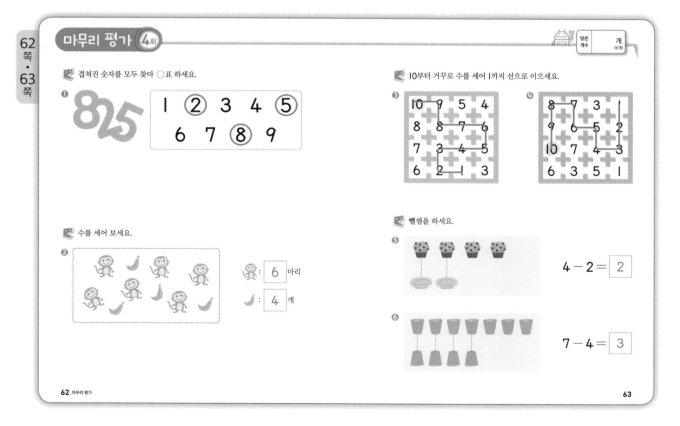

64
쪽
·
65
쪽

맞은
개수 | 개 (7개)

❶ 겹쳐진 숫자를 모두 찾아 ○표 하세요.

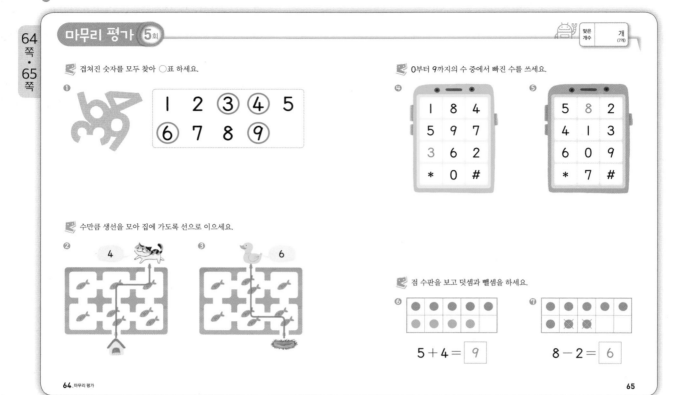

| 1 | 2 | ③ | ④ | 5 |
| 6 | 7 | 8 | ⑨ | |

✎ 0부터 9까지의 수 중에서 빠진 수를 쓰세요.

❹
1	8	4
5	9	7
3	6	2
*	0	#

❺
5	8	2
4	1	3
6	0	9
*	7	#

✎ 수만큼 생선을 모아 집에 가도록 선으로 이으세요.

❷ 4

❸ 6

✎ 점 수판을 보고 덧셈과 뺄셈을 하세요.

❻ 5 + 4 = 9

❼ 8 - 2 = 6

64 . 마무리 평가

65

16

6쪽

20쪽, 56쪽

21쪽

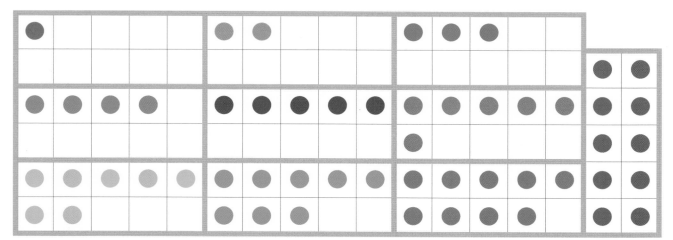

25쪽

46쪽

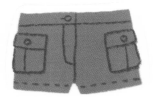